열여덟 열일곱

(첫사랑에서 연애의 시작까지)

열여덟, 열일곱 (첫사랑에서 연애의 시작까지)

발   행 | 2023년 12월 31일
저   자 | 최연우 박주하 신준영 백서현 김민채 장하은
펴낸이 | 한건희
펴낸곳 | 주식회사 부크크
출판사등록 | 2014.07.15.(제2014-16호)
주   소 | 서울특별시 금천구 가산디지털1로 119 SK트윈타워 A동 305호
전   화 | 1670-8316
이메일 | info@bookk.co.kr

ISBN | 979-11-410-6153-1

열여덟, 열일곱

최연우
박주하
신준영
백서현
김민채
장하은

CONTENT

프롤로그

이름: 백도현
나이: 고등학교 2학년 특이사항: 학교 도서부다. 잘생기고 키도 크고, 공부도 잘 하고, 심지어 착한 엄친아

이름: 윤한슬
나이: 고등학교 1학년
특이사항: 김태현과 6년지기. 백도현을 좋아해서 도서관에 매일 간다.

이름: 김태현
나이: 고등학교 1학년 현
특이사항: 윤한슬과 6년지기. 윤한슬을 4년째 짝사랑 중이다.

이름: 강유진
나이: 고등학교 1학년
특이사항: 학교 도서부다. 예쁘고 착하다. 윤한슬과 취향이 비슷해 친해졌다.

평범하지만 평범하지 않은듯. 평범한 고등학생들의 사랑이야기가 시작된다. 누군가는 행복하고, 누군가는 실망하지만, 그곳에서 우리가 느낄 수 있는 작은 공감이 있다. 총 3가지의 시점으로 구성해 각자의 자세한 생각을 담았다. 평범한 듯, 평범하지 않은 '열여덟, 열일곱' 이 시작된다.

CHAPTER.1 　좋아하는 사람이 생겼다.

"나 전부터 널 좋아했어."

'이 이야기는 나의 고등학교 입학에서부터 시작되었을까 …'

내 이름은 윤한슬. 얼마 전 중학교를 졸업했고, 생각만 해도 설레는 고등학교 생활을 앞두고 있다.

그리고 오늘은 입학식이다.
"윤한슬!" 어릴 때부터 친했던 김태현이다.
태현이네 엄마와 우리 엄마는 서로 친하다. 그래서 우리도 자연스레 친해졌다.
"너 몇 반이야?" 태현이가 물었다.
"나 6반이라는 거 같던데"
"오 뭐냐 나도 6반인데ㅋㅋ"
"뭐야 진짜?ㅋㅋㅋ"
"응. 근데 6반이면 1학년 중에 우리만 2층 쓰는 거 아니야?"
"…?"

2층이라면 무서워보이는 2학년 선배들만 바글바글한 그런 층이었다. 속으로 혼자 망했다 망했다 하던 중에 잘생긴 선배가 보였다. 내 생각은 바뀌었다. 내 목표는 이제 2학년 선배를 꼬시는 것이다.

며칠 후

"오늘 5교시에 동아리 정할거야 자기가 관심 있는 거 신청하도록 이상 조회 끝 "
나는 로망을 실현하고 싶었다. 바로 동아리 커플
…….
나는 ????? 동아리에 신청했다 … 동아리는 뜨개질 동아리..‼
그렇지만 남자애는 많이 없었다.

같은 반에서는 강유진이라는 친구를 사귀었다. 얼굴도 예쁘고 공부도 잘하기로 소문 난 애였다. 유진이랑 나는 책 읽는 취미나 좋아하는 책들의 취향도 다 비슷해서 급격히 친해지게 되었다.
"한슬아 우리 도서관 가볼래?" 유진이의 말에 나는 적극 찬성했다. 내가 책을 얼마나 좋아하는데 우리 학교 도서관 정도는 가봐야하지않겠어…

그렇게 도서관에 도착했다. 그런데.. 저기 후광이 비친다!
그 후광의 주인공은 2학년 백도현. 이름마저 잘생겼다. 심지어 공부도 잘하고 인성도 좋고 운동도 잘했다.. 신은 너무 불공평했다. 아마 유진이가 전에 말했던 엄청 잘생긴 선배 같다.

그 선배를 좋아하는 사람은 선배부터 후배까지 널리고 널렸지만, 정작 도현선배가 좋아하는 사람은 없는 것 같았다. 이제 내 목표는 바뀌었다. 도현선배를 꼬시는 걸로.

그날 이후로 나는 도서관에 매일 갔다. 진짜 질리도록 갔지만, 막상 가면 질리지 않았다. 도현 선배가 있었으니까. 도현선배는 차도남 같은 외모였지만, 엄청 친절했다. 책 위치를 엄청난 친절로 알려주는 건 기본이고, 대출과 반납도 잘 해줬으니까... 책 정리하는 건 그렇게 멋있을 수 가 없다.

유진이가 그 선배를 좋아하니까 유진이 한테 고민 상담을 할 수도 없고... 진짜 너무 고민이 많아서 태현이에게 내 고민을 털어놓았다.

"야 김태현! 이따 점심시간에 잠깐 얘기 할 수 있어?"
"응 왜?"
" 아 내 연애상담좀 해줘 "
"네가 좋아하는 사람이 있다고?"
"어. 그니까 있다가 점심먹고 고민상담 해주기다?"
"아 어 어......"

김태현이 저런 반응 인적이 없는데 오늘는 내가 연애상담 해달라고 하니까 저런 반응이라 쫌 어색했지만, 일단 밥을 먹으러 갔다. 우리학교는 1학년과 2학년이 점심시간이 겹쳐서 잘하면 점심을 같이 먹을 수 있을 것 같았다.

CHAPTER.2 이 이야기의 시작점

드디어 점심시간이다.

"한슬아 빨리 가자ㅋㅋ! 그래야 2학년들 많이 볼 수 있어!"

"뭐야 진짜..야 뛰어!"

그렇게 도착한 급식실에선 2학년이 정말로 바글바글 해서 누가 누군지도 분간이 안갔다.

"한슬아 여기!"

유진이가 자기쪽으로 손짓했다.

'어..? 저기 백도현 선배 아닌가?'

유진이가 있는 쪽에 도현선배가 보였다.

"한슬아 뭐해 이리로 와보라니까"

"어, 어!"

"야 저기 백도현 선배 있다… 진짜 잘생겼지않아? ㅋㅋ"

솔직히 잘생겼다. 그런데 유진이 앞에서 인정해버리면 뭔가 그러니까 좀 돌려말해야지.

"음… 몰라 잘생긴 것 같기도 하고 아닌 것 같기도 하고?"

"그게 뭐야!"

"아 몰라ㅋㅋㅋ 밥이나 먹자"

"야 김태현! 나 여기!"

점심시간이 끝나고, 나는 태현이에게 부탁한 연애상담을 받으려고 급식실을 지나서 좀 가면 있는 실내벤치에서 태현이를 기다렸다. 얼마 지나지 않아 김태현이 내 옆에 와 앉았다.

"그래서 고민이 뭔데?"

"일단 A랑 B가 있다고 쳐봐 그리고 C가 있는데 C랑 B가 같은 동아리야. 근데 B가 C를 좋아해 아니

근데 나도 C를 좋아한단 말이야ㅠㅠ 여기서 중요한
건 나랑 B랑 친구야…"

"…? 그니까 A가 너고 B가 강유진 C가 백도현 선배
라는 거지?"

"뭐야 그걸 너가 어떻게… "

"ㅋㅋㅋ눈치는 형이지~ "

"아 미친 뭐래.. 하 어떡하냐 나 진짜 이러다 유진
이랑 나중에 대판 싸우는거 아니야?"
"너가 포기하면 되지~ 너 주변 사람 중에서 솔직히
한 명도 호감인 애 없어?"
"내 주변..? 없는데… 뭐야 근데 너 왜 나더러 포기
하라 그래 짜증나 !!"
"..됐다 아니야"
"뭐야 왜 갑자기 너도 안 좋은 일 있냐?"
"ㅋㅋㅋ넌 몰라~"
"들어주겠대도 난리야!@@!#!&@" 역시 김태현한텐
고민상담이든 뭐든 맡기면 안됐다. 나는 기분이 안좋
아서 반으로 돌아간 나는 자리에 앉아있었다

몇분 뒤, 저기 우리 반 앞에 백도현 선배의 모습이 보였다. 나는 본의 아니게 선배한테 가서 어떤일로 왔는지 물어봤다. 선배는 내가 도서관에 안보여서 우리반에 왔다고했는데, 그뒤로 몇마디 더 했지만 설레서 기억이 안난다. 그게 나와 선배의 첫 대화였다.

며칠 뒤..

그날은 학급 회의가 있다고 해서 도서관에 들르지 못하고 반에서 친구들과 놀고 있었다.
"어?? 잘생겼다 "
친구들의 말에 나는 고개를 들었다. 우리반 앞에 백도현 선배가 서있었다.
"선배! 누구 찾으세요??" 선배는 누군가를 찾는듯 했다.
"아. 너 찾고 있었어"
"저요??"
"아.. 어 그게 너가 도서관 행사에 당첨됐거든..!"
"헐 진짜요? 그럼 같이 도서관 가요!!"
"응. 그래"

선배는 나에게 먼저 읽고 싶은책이 있는지 보고 있으라고 했다. '그런데 생각해보니 도서관에 행사가

있었나...'
그때 내 눈에 재미있어보이는 책이 들어왔다. 그런데 책이 너무 높이 있어서 내 키로는 꺼낼 수 없었다. 선배가 저기 멀리서 오는게 보였다. 내가 선배를 보자 선배는 웃으며 책을 꺼내주었다. 선배가 위로 손을 뻗으니 선배의 빠른 심장 소리를 들을 수 있었다.

나는 선배에게
"선배 심장소리 다 들려요 엄청 빨리뛰네요 " 라며 웃었다. 그때 나는 선배가 그렇게 웃을 수 있는지 처음 알았다. 처음보는 미소를 지어줬다.

그때 이후로 나는 선배와 더 가까워지기 시작했다.
'선배도 나를 좋아하나?'
라는 생각이 들 때도 있었지만 선배가 나 같은애를 좋선아할 리가 없었다. 그렇다기엔 선배가 나한테 전보다 더 잘해주는 것 같았지만, 내착각이라 생각했다.

김태현이 요즘 자꾸 도현선배랑 말을 한다. 그런데데 무슨 말을 하는지 말을 할때마다 표정이 안좋다. 둘이 싸우는것 같아보일 때도 있었다. '도대체 왜그러지.....'

"나 할말이 있는데...... " 도현선배가 말했다.
그리고 그날 오후. 태현이도 나에게 할 말이 있다고 했다. '무슨 할 말이 있는거지.....'

CHAPTER.3　신경쓰이는 아이

오늘은 3월 2일 개학식이다. 내가 고등학교 2학년이 되는. 오늘도 여느 때와 다름없이 나갈 준비를 한다.
" 아들, 새 학기 이미지가 되게 중요한 거 알지? 내년이면 고삼이야. 성적 신경 써야지. "

"..네 "

" 이거 갖다드려. "

엄마는 내게 비싼 홍삼을 쥐어주셨다. 나는 엄마가 주신 홍삼을 가지고 집을 나섰다.

날씨는 생각보다 좋았다. 비가 올 줄 알았지만 흐리기만 했다. 일찍 나와서 그런지 밖에는 사람이 거의 없었다. 홍삼은 거슬리기만 한다. 마침 길거리에 쓰레기통이 있다. 그대로 집어넣었다.

내 새로운 반은 2학년 1반이다. 1반이라 그런지 바로 옆 반이 1학년 반이다. 1학년 앞에서 기강을 잡으려고 하는 애들도 있고 귀엽다고 난리치는 애들도 있다. 바로 작년에 1학년이었다는 것을 잊은 눈치다.

반에 들어가니 나랑 꽤 친하다고 할 수 있는 재원이가 기다리고 있었다.

" 도현 하이. 우리 올해 또 같은 반이다. "

" 어, 그러네. "

그렇다. 류재원이랑 나는 중학교 때부터 쭉 같은 반이다. 나랑 가깝게 지내는 친구는 몇 명 없는데 얘는 그나마 가장 믿을 수 있는 친구다.

" 하, 올해는 꼭 연애해야지. 나만 못해. 넌 진짜 부럽다. 인기도 많고 고백도 많이 받고...... 내가 너 얼굴이면 여친 매일 사귀지. "

" 난 연애에 관심없어. 고딩이 무슨 연애. "

"에휴, 재수없는 새끼. 그냥 꺼져라."

난 말 그대로 정말 연애에 관심이 없다. 하고 싶지도 않고 해야하는 것도 아닌데 굳이...... 그럴 시간에 책 한 쪽 더 읽는 게 낫다고 본다.

나는 중학교 때와 같이 도서부 동아리에 지원했다. 도서부는 2학년부터 지원할 수 있었다. 물론 난 관심없지만 이번에도 엄마의 압박으로 하게 되었다. 뭐, 해서 나쁠 건 없으니까. 도서부는 일이 굉장히 많다. 책을 옮기고, 책도 찾아주고, 도서관 진상들까지 웃으며 대해주는 동시에 뒷자리도 정리하는 등 이것저 것 많다. 그래도 중학교 때부터 해오던 일이라 차라 리 하는 게 마음이 편하다.

도서관은 조용하기도 하고 혼자만의 시간을 가질 수 있는 공간이었지만, 내가 일하게 된 이후로 사람 이 많아지게 되었다. 특히 여자애들. 1학년부터 3학 년까지 다. 왜인지는 잘 모르겠다. 이번 신간 도서가 재밌었나? 하긴 나도 즐겨 읽는 책이다. 〈에디슨과 테슬라〉. 내가 정말 추천하는 책 중 하나다. 논리적 이고 과학적인 주장이 완벽하게 정리되어 있다. 이 책은 학교 정기고사 만점을 받을 정도면 다 이해할 수 있을 정도로 쉽다. 이 책을 위해서라면 이렇게 사 람이 붐비는 것도 이해가 된다.

요즘 1학년, 2학년, 3학년 할 것 없이 모두 다 내게 말을 건다. 반 친구들은 물론 일진들까지 내게 말을 거니 조금 피곤하다. 읽고 싶은 책이 있으면 알아서 잘 찾을 것이지 왜 내게 물어보는지 잘 모르겠다.

또 모두들 내가 연애를 많이 해봤을 것이라고 생각 한다. 하지만 난 사랑이라는 감정을 책을 통해 배워 봤을 뿐이다. 소설도 아닌 과학 책으로. 이런 나를 보며 이상하게 생각하는 사람도 많다. 그래도 학생인 데 당연하다고 생각한다.

새 학기는 점차 정리되고 학생들도 다 자리를 잡고
있다. 도서관에 붐비던 사람들도 이제 흥미를 잃었는
지 도서관엔 몇 명 남아있지 않다. 오히려 일도 줄고
나에겐 좋을 뿐이다.

 하지만 조금 특이한 신입생 한 명이 있다. 저 1학년
여자애는 뭘까. 입학 후부터 쭉 항상 도서관에서 어
슬렁거린다. 정작 책은 읽지 않으면서 나를 힐끔힐끔
쳐다본다. 대부분의 사람들은 새 학기가 지나가며 자
연스럽게 사라졌다. 그런데 이 1학년 여자애는 조금
다르다. 매일 도서관에 출석하며 굉장한 의지를 보여
준다. 진짜 쟤는 뭐지.
 지금은 높은 서재에서 책을 꺼내고 있다. 음..너무
위태로워 보이는데..? 아, 결국 책을 떨어뜨렸네.
" 제가 도와드릴게요."
"아......"
 떨어진 책을 열심히 주웠다. 어? 인사도 안 하고 그
냥 도망가 버렸다. 굉장히 예의가 없는 듯하다. 정말
특이한 신입생이다.

 매일 오는 저 1학년 여자애, 처음에는 아무 관심 없
었으나 하루도 빠짐없이 도서관에 나오니 저절로 관
심이 생길 수밖에 없었다. 머리는 단발에 신입생다운

단정한 교복차림이고 지극히 평범한 외모를 가지고 있다. 그러고 보니 이름도 제대로 모르네……. 이름도 잘 모르는 1학년 여자애, 왠지 모르게 신경이 쓰인다.

역시나 오늘도 있다. 오늘은 만화책을 고르고 있는 것 같다. 우리 학교 도서관 하면 흥미로운 내용의 만화책이 많다고 할 수 있다. 그러니 많은 학생들이 관심을 가지고 붐빌 수밖에…… 다른 서재들에 먼지가 쌓이고 있을 때에도 만화책들이 있는 서재에는 항상 사람이 많다. 그 만큼 할 일도 많은 장소다.

 오늘은 꼭 저 여자애의 이름을 알아내야겠다.
'명찰을 보면 되겠지.'
 음. 신입생이라 그런지 명찰이 없다. 아! 대출 명단을 확인하면 된다.
'1학년…. 6반…. 윤.한.슬.'
 이름은 되게 독특하다. 그런데 나 지금 왜 저 여자애 이름을 알고싶은거지? 그럴리가. 내가 저 신입생한테 왜 신경을. 정신 차리자 백도현. 요즘 나도 조금 이상해진 것 같다.

 무슨 일일까. 맙소사 오늘은 윤한슬이라는 1학년 여

자애가 도서관에 오지 않았다.

'혹시 무슨 일이 생긴 건가? 위험한 일이면? 설마 그럴리가. 왜 도서관에 안 오지? 바쁜가. '

여러 생각이 내 머릿속을 스쳤다.

'..하. 나 지금 걔 걱정하는 거야? '

최근, 그 애를 생각하고 신경 쓰는 시간이 많아졌다. 도대체 왜? 난 걔랑 제대로 된 대화를 해본 적도 없는데. 걔가 이런 날 알면 어떻게 생각할까. 아마 변태 같다며 싫어할 수도. 그런데 이건 누구나 할 수 있는 걱정이다. 도서관에 항상 오던 학생이 갑자기 안 오면 걱정되는 것은 당연한 일이다.

그래서 난 우리 학교 한 학생의 안전을 위해 그 애의 반에 가보기로 결심했다. 물론 걱정돼서가 아니라 도서부의 역할을 다하기 위해서.

윤한슬은 1학년 6반, 바로 내 옆 반이다. 어차피 반으로 돌아갈 겸 그냥 확인만 하고 오는 것이다. 그러면 아무 문제없다.

난 반으로 돌아가면서 옆 반, 1학년 6반을 잠시 들렸다. 그런데 한슬이 어떤 다른 남자애와 장난을 치는 모습을 목격해버렸다. 갑자기 내 가슴이 빠르게 뛰기 시작했다. 무슨 감정인지는 모르겠으나 분노와 유사한 감정을 느끼고 있는 듯했다.

'역시 남자친구가 있는 거였어. 요즘 애들은 뭐 누구나 다 연애하니까. 그럴 수 있지. 남친이랑 꽁냥대느라 도서관 따위 안 올 수 있지.'

최대한 감정을 억누르고 반으로 돌아가려할 때 한슬이 나를 보고 처음으로 말을 꺼냈다.

" 도서부 선배...? 선배님이 왜 여기를...... "

" 아, 그냥 네가 오늘은 도서관에 안 왔길래. "

" 어? 저를 알고 계셨어요? 엇, 그리고 저 때문에 올라오신 거예요? "

한슬이 싱긋 웃으며 얘기했다.

" 아...... 그런 건 아니고...... 난 가볼게. "

나는 서둘러 그 자리를 떠났다. 부끄럽기도 하고......

처음 느껴보는 감정이었다.

CHAPTER.4 내가 바뀌고있다.

나는 집으로 돌아오자마자 냉장고에서 시원한 도라지 배즙을 들이켰다. "이제 좀 살 것 같네." 윤한슬과 남자친구가 함께 있는 모습을 본 뒤로 계속 그 장면이 머릿속을 맴돈다. 그 때문에 오늘 학교에서도 남은 수업에 집중하지 못했고 하굣길에 땅만 보면서 그 생각만 하며 걷다가 나무에 박치기를 해버렸다. 오늘은 운이 좋지 않은 지 나무에 앉아있던 까치가 날아오르며 새똥을 내 머리 위로 싸고 가버렸다. 나는 멍했다. 아니 잠깐, 새똥? 으악 얼른 씻어야지.
  화장실에 들어가 거울을 봤다. 머리 위에 하얀색 무언가가 있었다. 내 모습이 추해 보였다. 뒤늦게 창피함이 몰려온다.
'내가 이러고 돌아다녔다고?'

  시원하게 샤워를 하고 나왔음에도 불구하고 뭔가 찝찝했다. 새똥이 그렇게 찝찝하냐고? 물론 새똥을 맞은 것도 찝찝하다. 하지만 윤한슬과 장난치던 그 남자 애 생각이 자꾸만 난다. 내가 왜 이런지 도저히 알 수 없었다. 이런 감정은 내가 읽었던 책에 표현돼 있지 않았다.

소파에 앉았을 때는 이 감정이 '분노'라 느껴졌다. 그러나 식탁에 앉았을 때에는 '허전함'이라 느껴졌고 책상에 앉았을 때는 '불안'이라 느껴졌다. 마지막으로 침대에 누웠을 때는 '질투'라 느꼈다.

질투라고? 질투…… 내 생에 한 번도 느껴본 적 없는 감정이다. 그래, 내가 질투를 할리가 없다. 질투가 사전적으로 무슨 뜻을 가지고 있는지 궁금해져 이웃사전에 검색해 보았다.

질투
1. 부부 사이나 사랑하는 이성(異性) 사이에서 상대되는 이성이 다른 이성을 좋아할 경우에 지나치게 시기함.

'사랑하는 이성…… 윤한슬?! 내가 윤한슬을?!'

아니다, 절대 아니다. 사랑하는 이성이라니, 말도 안 된다. 역시 질투는 아닌가 보다.

문득 류재원이 떠올랐다.

'그래 걔라면 그 남자애에 대해서 알고 있을 거야!'

류재원은 학교에서 이름난 정보통이다. 인맥도 아주 넓다. 워낙 오지랖이 넓으니 그럴 만도 하다.

류재원에게 전화를 걸었다.

"뚜우 - 뚜우 - 뚜우 - 뚜우 - 뚜우 - 뚜우 "

전화를 끊으려던 찰나에 재원이 전화를 받았다.

"여보세요?"
"어 새끼야 왜? 게임 중이신데 괜히 방해하고 말이야......"
"아니 있잖아, 1학년 6반에......."
"왜? 마음에 드는 애 있어? 짜식 바로바로 말할 것이지...... 누군데? 이 형님이 바로 그냥 소개팅 잡아줄게! 어? 내가 얼마나 대단한지 알지? 내가 말이야 이렇게 딱! 저렇게 빡! 해가지고 말이지 어?"
"아니, 그런 게 아니고 1학년 6반에 노란 머리 남자애 알아?"
"야, 너 남자 좋아하냐? ㅋㅋㅋㅋㅋ 게이였어?"
"야, 이상한 소리 그만하고 말해봐."
"네, 알겠습니다! 그래서 누구라고? 노란머리에...... 노란 머리 한 애들이 한둘이어야지. 특징 더 불러봐."
"음...... 일단 키는 180cm 조금 넘어 보이고 귀걸이를 걸고 있고...... 또......"

"일단 그런 애가 6반에 두 명 있어. 서준이라는 애하고 김태현이라고 밴드부? 그런 거 하는 애 한 명.

음, 이 마음씨 넓은 내가 찾아주려고 했는데 그 녀이 녀석 갖고 있는 정보가 없어서 어떻게 할 수가 없네. 아니 내가 아까도 말했지만 이 고등학교에서 제일 소식이 빠르고 인맥이 넓은...... 깊지는 않지만 어? 아무튼 그래서......"

 내가 끊어 버렸다. 얘는 말이 뭐 이렇게 많은지 모르겠다. " 아휴 시끄러 " 그래도 좋은 정보를 얻은 것 같다. 내일 가서 찾아봐야겠다.

 핸드폰 시계를 보니 6시였다. 우리 학교는 야자가 없어서 다른 고등학교에 비해 빨리 끝난다. 좋다고 생각할 수 도 있지만 대부분 학생들은 그렇게 생각하지 않는다. 대신 부모님이 학원으로 보내버리기 때문이다.

우리반 애들만 봐도 학교가 끝난 시간부터 새벽 2시까지 학원에 박혀있는 경우가 많다. 학원이 법적으로는 10시까지만 운영 할 수 있지만 말이 그렇지 대부분 지키지 않는다. 이쪽 동네 학원 학부모들은 법쪽에서 일하는 사람도 많아서 누가 신고하더라도 학부모 빽 덕분에 별 일 없이 끝나는 편이다.

나는 학원 대신에 과외를 받는다. 국,영,수,사,과는 기본이고 제2,3 외국어(나는 스페인어, 중국어를 하고 있다.),역사 과외를 받는다. 시험 기간에는 시험대비 특강까지 받는다. 한 주는 7일인데 과외는 8개이다. 월요일에는 국, 영, 외국어, 화●목●토요일에는 수, 과, 수요일에는 국, 영, 사회, 금요일은 국, 영 ,역사 과외가 있다. 주말에는 학교에 가지 않기 때문에 토요일은 수, 과, 사 일요일은 국, 영, 역사, 외국어로 계획되어 있다.

당연히 힘들고 불가능한 스케줄이다. 내가 봐도 너무 많다. 하지만 어떻게 할 수도 없는 노릇. 최대한 엄마와의 갈등을 피하기 위해 그저 다 해낼 수밖에 없다.

왜 과외 선생님이 안 오시는지 모르겠다. 7시 수업 시작이기는 하지만 첫 날 부터 엄마가 선성님한테 돈을 꽂아주셨고 그 때문에 선생님은 6시 30분까지 도착해서 수업 진행 하겠다고 다짐하셨었다.

아 모르겠다. 선생님 오실 때까지만 자유를 실컷 누려야겠다. 어차피 지금 공부해봤자 집중력만 떨어질 것이다. 나는 내가 가장 좋아하는 음악 감상을 하기로 했다. 음악 감상은 유일한 우리 가족 전체의 취미이다. 이 집으로 이사 오면서 엄마는 비싼 스피커가 상류층의 상징이라며 고가의 음향 장비를 마구잡이로 구매하셨다. 엄마는 음악을 감상하실 때 무조건 비싼 스피커와 비싼 앰프를 연결하여 감상하셨고, 아빠는 낭만이라며 LP판으로 음악을 들으셨다.

나는 이쪽에 관심이 조금 많이 있어서 좋은 '조합'을 생각해서 듣는다. 스피커와 앰프가 무조건 비싸다고 해서 둘이 함께했을 때 좋은 소리가 나는 것이 아니다. 각자의 특색이 있고, 그 특색이 잘 어울려져야만 한다. 음악 감상실로 갔다. 수십 대가 넘는 스피커와 앰프가 진열되어 있다.

오늘은 왠지 NAS의 ILLMATIC이 듣고 싶었다. 엄마는 우리와 어울리지 않는 음악이라고 듣지 못하게 하셨지만 나는 이 앨범을 정말 좋아한다. 그래서 항상 숨겨두고 가끔씩 듣는다. 오늘도 특별히 숨겨놓았던 이 앨범을 꺼냈다. 앨범 표지에는 NAS의 7살 사진이 나와 있다. 이 사진을 볼 때마다 감탄이 절로 나온다. 신나게 앨범을 재생한다. 역시 내가 스트레스를 풀 수 있는 유일한 수단이다.

곧 선생님께선 도착하셨고 사정이 갑자기 생겨 조

금 늦었다고 하셨다. 그리고 바로 수업이 시작되었
다. 하지만 수업을 받는 중에도 계속 윤한슬이 생각
나는 것은 왜일까? 그보다 윤한슬 남자친구에 대한
분노, 혹은 질투가 수업 중에도 계속됐다. 아, 큰일
났다. 제대로 감겨버렸다.

　18년 인생 중 가장 상쾌하게 아침을 맞이했다. 이것
이 사랑의 효과인가? 아, 물론 이젠 내 감정을 거부
하지 않기로 결심했다. 24시간 그 애가 생각나는 것
이 사랑이 아니면 뭐로 표현할 수 있을까. 하지만 오
늘 아침이 상쾌하지만은 않았다.

　나는 지금 해선 안 되는 짝사랑을 하고 있다. 남자
친구가 있는 애를 좋아하고 있는 것이다. 당연히 해
선 안 되고 좋을 것 없는 짝사랑인 것 알지만 내 마
음이 이런 걸 어떻게 할 순 없다. 하, 그 애를 먼저
차지하지 못한 것이 너무 후회된다.

　이러면 안 되는 걸 알지만 지금 내 몸은 윤한슬을

향해 가고 있다. 1학년 6반. 하필이면 너무 가깝게 있다. 발걸음을 멈추고 싶어도 계속 보고싶고…… 어쩔 수 없다. 몰래 보고 오기로 한다.

음? 그 애는 지금 반에 없다. 어디 간 것일까? 그제야 내가 지금 뭐하고 있는지 현타가 온다.

"어? 선배! 도현 선배 맞죠?"

"어… 어어?"

순간 나는 너무 놀랐다. 내가 자기를 찾고 있는 걸 알기라도 한다면? 아, 상상도 하기 싫다. 괜히 반 앞에 와서 어슬렁거렸다. 이젠 어떡하나.

"선배 맞네요! 선배 왜 여기 계세요?"

"어. 그냥…… 만나고 싶었던 애가 있어서."

"음, 그러세요? 누구 찾으세요? 제가 불러드릴게요."

"아, 그게 너 찾고……"

"…네?"

제대로 큰일이 나버렸다. 실수로 내 속마음을 말해버렸다.

"아니 음 그게…… 너…가 아! 도서관 행사에 당첨돼서! 그래서 너 찾던 거야. 하하."

"아…… 그렇구나. 그럼 같이 도서관 가요!"

"어? 어 그래 좋아."

후하. 이번엔 그래도 잘 넘어갔다. 그런데 윤한슬과 마주보고 대화를 할수록 왠지 계속 말 실수를 하고 긴장된다. 하, 정말 어떡하지?

윤한슬과 함께 도서관에 도착했다. 딱히 진행하고 있던 행사는 없지만 어쩌다보니 거짓말을 해버린 탓에 일단은 책을 고르고 있으라고 했다. 나는 자연스럽게 책을 정리했다. 책을 정리하고 도서관 청소도 조금 하던 중, 높은 곳에 있는 책을 꺼내려 하는 윤한슬을 발견했다. 그 모습을 보니 처음 봤던 순간이 떠올랐다. 지금 생각하니 피식 웃음이 났다.

"내가 도와줄게."

그러곤 어렵지 않게 높은 서재에 손을 올렸다. 가까이 있던 탓인지 윤한슬의 심장 소리가 다 들렸다. 그런데 왜일까. 나만큼이나 아주 빨리 뛰고 있는 윤한슬의 심장 소리를 들을 수 있었다. 당황한 나머지 그 자리에서 내 몸은 그대로 굳었다.

그리고 그 순간엔 윤한슬과 나의 숨소리, 심장소리만 들린 채 정적이 흘렀다.

그런 나를 보고 싱긋 웃으며 윤한슬이 말했다.

"선배, 심장 소리 다 들려요. 완전 빨리 뛰네요."

그런 윤한슬을 보고 난 저절로 웃음이 났다. 아 정말 큰일난 것 같다. 제대로 빠져버린 듯하다.

CHAPTER.5 짝사랑중

오늘은 고등학교 첫 입학식이다.
"야, 윤한슬! 너 언제 나와" "아 지금 나가!!"
윤한슬은 나의 가장 오래된 소꿉친구다. 초 4때 만났
어서 거의 뭐..6년지기다. 얘는 우리집 바로 앞에 산
다. 그래서 언제나 쳐들어가기 쉽다..ㅋㅋㅋㅋ 아니
근데 윤한슬 왤캐 안나와;
"ㅎ나왔어 ㅎ"
"이게 죽을라고..너 5분전에 나온다고 했는데 왜 지
금나와ㅡㅡ"
"아 미안미안ㅎㅎ 빨리 가자 늦겠다"

우리는 또 같은반이 되었다. 사실 내심 좋았다. 왜냐
하면 난 얘를 4년 동안 짝사랑중이기 때문이다. 얘는
나를 아직 친구로 생각하고 있을까..?

반은 대체로 꽤 괜찮은 애들이 있는 반이 된거 같았
다. 담임 쌤도 괜찮은거같다. 똑같은말을 몇 번씩이
나 반복하는 것 빼고는... 첫 입학 날이라 그런지 입
학식하고 담임시간 가지는거 빼고는 하는게 없어서

일찍 끝나는거같다.

　역시 입학식하면 교장쌤 말씀이 어디를 가나 빠지지 않는데 교장쌤 말씀은 어느 학교나 다 졸린건 마찬가지인거같다.
(그렇게 고등학교 첫날이 끝나고..)
"야 김태현 같이가!!"
"으휴..넌 맨날늦냐"
"그래도 너가 기다려주잖아 ㅎ"
"뭐 내가 착해서 그러ㅈ.."
"?"

-다음날

윤한슬 애는 또 늦는거같다. 무슨 학교준비하는데는 3분도 안걸리면서 화장하는데만 30분을 쓰지,,,? 애도 정말 대단한거같다. "윤한슬 너 또 약속시간 깨면 나 먼저 간다."
"아 알았어알았어 지금 나가"
-(현관문이 열린다)
"야 너 정확시 약속시간 3분 29초나 지났어..ㅋ 이 정도면 나한테 돈내야되는거 아니야?"
"그걸 또 굳이 세고있냐ㅡㅡ 너 T야?ㅠ"

오늘부터는 이제 정말 고등학교의 시작이다. 1교시는 우리학교를 둘러보면서 동아리를 정해보는 시간이다. 지금까지 윤한슬을 데리고 다니면서 여러 동아리를 보긴 봤는데 다 그저 그렇다.

'얘는 왜 자꾸 도서관 쪽을 보고있는거야..? 도서관에 누구라도 있나..' 윤한슬의 눈에는 오직 도서관으로 꽂여있었다. 나도 호기심에 도서관으로 가봤다.

"야 김태현..저기 저 선배 진짜 잘생기지 않았어?"

"누구..아 저선배? 그러네 잘생겼다.

난 그때까지는 몰랐다. 그 선배가 우리사이를 어떻게 해놓을지...

-(둘은 도서관 안으로 들어간다.)

웅성웅성...

"어? 저기 웰캐 사람들이 몰려있냐..가보자"

"그래"

몰려있는 사람들 속에서 아까 본 잘생긴 선배를 발견한다.

"어? 아까 그 잘생긴 선배다.."

"...나도 잘생겼는데..."

"응? 뭐라고?"

"아 아니야"
"사람들 너무 몰려있으니까 이따가 올래"

사람들이 한차례 몰려 있다가 서서히 빠진다. 그때 윤한슬이 도서관 안으로 들어갔다.

"선배 안녕하세요...! 저 1학년 윤한슬인데요..친해지고 싶어서요...!"
"아......(고민) 네" -백도현

1교시가 끝나는 종이치고 쉬는시간이 된다.
"야 우리학교에 매점 있다던데 구경 가자" -윤한슬
"아 귀찮아" -김태현
"같이 가주면 초콜릿 사줄게" -윤한슬 "어디야 바로가자" -김태현

매점 안으로 들어가는데 안에서 백도현을 마주친다. 윤한슬을 그 선배에게 다가가 말을 건다. 멀리서 봤는데 그 선배도 윤한슬에게 친절히 대하는거같았다. 나는 그 둘이 자연스럽게 수다를 떠는걸 뒤에서 보고만 있었다. 겉으로는 아무렇지 않은척 해보았지만 속에서는 그 상황이 싫었다.

-그 다음날

학교에 와보니 윤한슬이 없었다. 무슨일 있나..? 쌤한테 물어보까 오늘 결석했다던데..갑자기 왜지...
나는 학교가 끝나자마자 바로 윤한슬의 집으로 찾아가 집안으로 들어갔다. 아 내가 첨에 말 안했었나? 나와 윤한슬은 엄마들끼리도 친해서 서로의 집에 맘대로 쳐들어갈 수 있다. 물론 현관문 비번도 알고 있었다. 나는 급한 마음에 얼른 뛰어가서 윤한슬을 찾았다. 끝방에서 신음소리가 났다.

"야 윤한슬 너 거기 있냐?" -김태현
"..." -윤한슬
"들어간다" -김태현

윤한슬이 침대에 누워있었다. 나는 윤한슬이 그렇게 누워있는것만으로도 알 수 있었다. 지금 윤한슬이 아프다는걸...나는 조용히 다가가 이마에 손을 얹어보았다. 역시나 뜨거웠다. 나는 윤한슬을 깨웠다. "야 너 괜찮아?" "어...괜찮아..."
　　윤한슬의 목소리는 다 갈라져있었다. "뭐가 괜찮아..이게 괜찮은거야? 됐고, 어디가 아파"
"..그냥 몸살기운이야.. 금방 괜찮아져"

나는 윤한슬의 말을 듣고 어처구니가 없었다. 아니 그렇게 누워있으면서 그 말이 나오나..? 나는 아무말도 하지않고 집을 나왔다. 나는 서둘러 약국으로 가서 약을 사고 죽집에 들러서 다시 윤한슬의 집으로 도착했다.

"야 잠깐만 일어나봐" "응?왜..."
"죽사왔어 이거 먹어"
"입맛 없는데..."
"너 약먹어야돼. 얼른 먹자"

윤한슬이 죽을 거의 다 먹었을때쯤 약봉투를 건넸다.
"고마워..김태현"
 "그 말 참 빨리도 말한다"

나는 윤한슬이 약을 먹고 다시 누워서 잠잘때까지 옆에 있어줬다. 나는 윤한슬이 너무 걱정되었다. 평소엔 무거운 것도 엄청 잘 들던애인데..지금 상태를 보면 파리도 못잡을것같았다.
그렇게 윤한슬이 잠들고 난뒤에야 난 집으로 들어갈 수 있었다.

아무리 공부를 해도 집중이 되지 않았다. 내 머릿속에는 온통 윤한슬 생각뿐이었다. 지금쯤 일어났을까..? 저녁은 챙겨먹고있을까..? 잠을 자려고 해도 잠이 오질 않았다.

-다음날

 나는 학교가 끝나자 마자 바로 한슬이의 집으로 달려갔다. 한슬이의 집 비밀번호를 누르고 난뒤 한슬이를 보았을때에는 전보다 상태가 나아지긴 했지만 아직 많이 힘들어 하는 상태였다.
"야, 너 괜찮아? "
"조금? 그래도 전보다는 나아졌어. 약 사다준거 고맙다ㅎㅎ 내가 나중에 먹을거 사줄게"

 이렇게 하여 나와 한슬이의 에피소드가 생겼다. 누구든 한번쯤은 주변에 좋아하는 사람들이 있는데, 같이 지내면서 그 친구의 아픈 모습을 보고 안타까움과 공감을 할수 있는 시기가 온다. 그때가 나한테는 지금 인것 같다.

이렇게 며칠이 더 지나간후 한슬이는 건강한 모습으로 오랜만에 같이 학교에 등교했다. 한슬이는 반에 들어서자마자 이미 반 친구들에게 둘러싸여있었다. 이런 한슬이를 보면서 나는 깊은 생각에 잠겼다. 과연 내가 한슬이에게 어울리는 남자일까..?

 요즘에 이런 생각을 많이 하다 보니 나도 모르게 한슬이를 포기할 생각이 들었다 하지만 그 포기할 마음도 잠시 나는 한슬이의 매력에 점점 빠지고 있었다. 수업종이 치면서 우리의 1교시 수업이 시작되었다. 나는 1교시에도, 2교시에도, 3교시에도 한슬이의 생각의 공부가 잘 되지 않았다. 그렇게 점심시간이 되고 우린 점심을 같이 먹고 학교산책을 돌고 있었다.

 "야야, 우리 그 잘생긴 선배 있자나 그 선배 보러 갈래? 하 근데 저번처럼 또 사람들이 많아서 못 보면 어떡하지ㅠㅠ"

 "에이 그 선배가 얼마나 잘생겼다고 사람이 그렇게 모이겠냐 하필 그것도 도. 서. 관. 에 그 정도 얼굴이면 나도 그 선배랑 비슷하지 얼굴이 잘생겼잖아"

 "에고 이 친구는 갈길이 멀었고요..지금 자신만의 창의적인 세상에서 나오기 싫나봐요^^"

그렇게 티격태격 얘기를 하면서 도서관에 도착했다.

도서관은 의외로 조용했다... "어..?오늘은 왜 이렇게 조용하지 불안하게 오늘 그 잘생긴 선배 없는 날인가..?"

 "내가 이럴줄알았다니까 그 선배도 자신의 이익만 챙기는 사람이라니까"

 나는 그렇게 말 한 후 한슬이의 얼굴을 보았다 한슬이의 얼굴은 장난기가 있지만 얼굴이 진지해져 있었다 . 난 이 얼굴을 보고 얼굴이 빨개져 고개를 돌렸다 순간 나는 한슬이에게 한번더 빠졌다는 증거였다. 누구나 자신이 호감 가는 친구에 얼굴을 보며 눈을 마주친다는 게 어려운 일이다. 하지만 이것을 극복한다면 나에게는 뿌듯하고 의미 있는 하루가 될 것이다. 이런 생각을 하고 있을 때 한슬이가 불렀다.

 "야 김태현 너 뭐하냐 고개 돌리고.."

 "아니 그게 내가 지금 읽고 싶은 책이 한권 있는데 그책이 혹시 있나 해서"

 "그럼 같이 찾아줄게"

순간 나는 한슬이에게 거짓말을 해버렸다. 여러 가지 얘기를 하면서 도서관을 둘러보고 있을 때 익숙한 실루엣이 보였다. 나와 달리 한슬이는 눈치가 빨라서인지 잘생긴 선배라는 것을 알았다. 한슬이는 바로 그 선배에게 뛰어갔고 나는 그 상황을 지켜보며 조금의 질투가 나기 시작했다.

"선배 안녕하세요 ㅎㅎ"

"어 그래 안녕?"

서로 인사를 나누는 모습을 보니 기분이 별로 찜찜했다.

"하 나랑 있었을 때는 저런 리액션도 안해주고.. 나도 저 선배랑 얼굴은 비등비등 한데... 한슬이는 나를 남자로 안보나.."

그래서 나는 질수 없다는 식으로 그 선배에게 다가갔다.

"안녕하세요 선배. 잘생기셨네요"

"아ㅎ 고마워 우리 1학년 남학생 친구 너도 얼굴이 잘생겼다..."

옆에서 듣고 있던 한슬이는 얼굴을 찡그리며 믿을 수 없다는 듯 표정을 지었다. 이렇게 나와 한슬이 선배와는 조금 더 친해지는 중이었다. 나와 한슬이는 거의 6년지기인데 나한테는 그런 모습을 보이지도 않더니 저 도서부선배한테만 저런 모습을 보여주네 설마 한슬이가 저 도서부 선배를 좋아하나...?

나는 다시 깊은 생각에 잠겼다 책을 잘보진않지만 한 책에서에 말이 떠올랐다 자신이 호감이 있는 사람이 다른 이성친구와 있을 때에는 질투심을 느끼는 것이 인간의 마음중 하나라는 것을..

난 그래서 당분간 한슬이에대한 생각을 정리하기 위해 한슬이를 피해 다녔다. 이때까지 한슬이는 계속 그 도서부 오빠를 만나고 있었다. 어떤 때는 그 둘만의 시간을 보내고 오기도 했다.

한슬이는 내가 이런 일들이 일어나고 있는지 모르겠지만 나는 다 알고 있었다. 내가 가장 충격을 받았던 일을 바로 나와 한슬이가 점심시간에 도서관에 가지 않고 교실에서 있었는데 그 도서부 선배가 바로 우리 반까지 와서 한슬이를 찾았던 것이다 이를 보고 다른 친구들은 "한슬이면 그럴만하지.. 이쁘고 성격도 좋으니까." 라고 대부분 그렇게 생각하고 있었다. 또 한슬이는 나랑 얘기하던 것도 멈추며 도서관 선배를 웃으며 마주하고 같이 내려갔다.

나는 그 모습을 보고 진짜 포기하고 조금 더 멀어져야 겠다는 생각도 들었고 이 모든게 다 선배 탓이라고도 생각을 해봤다.. 하지만 나아지는것은 하나도 없었으며 한슬이와 도서부 선배사이는 더욱 깊어져 있었다.

 그러다가 나는 큰 충격을 받는 사건이 하나 생겼다. 여기서는 과연 내가 나서서 나의 마음을 말하는 게 맞을까...? 나는 한슬이와 도서부선배가 나보다 더 특별한 관계인 것을 알아챘다. 순간나는 억울함과 동시에 서운함이 함께 몰려왔다.

 "하 윤한슬. 내 마음도 모르고 다른 선배랑 나보다 더 잘 지내네"

 요즘에 나는 한슬이와 같은 반이기도 하지만 요즘 일로 인해 점점 더 멀어지고 있었다 이사이에는 바로 도서부 선배가 있었다.

'아니 왜 하필 잘 되고 있었는데 갑자기 튀어나와 가주고 나는 한슬이 마음을 얻기 전까지 열심히 노력했는데 갑자기 한 번에 한슬이의 마음을 잡아버렸으니...'
너무 혼란스럽고 실망한 탓에 수업시간에도 집중을 잘하지 못해 선생님한테 대부분 혼나기 일쑤였다. 이만큼 나는 평소 일반 아이들에 비해 훨씬 더 잘하는 아이였지만 요즘에는 더 아래로 떨어지고 있었다.

"아 한슬아..."

나는 용기를 내어서 한슬이에게 말을 걸었다.

"야 윤한슬.. 왜 요즘에 너 나 피해...?"

"응? 내가 언제 너를 피했어 네가 피한 거 아니야? 나는 너 찾아다니느라 벌점까지 받을 뻔 했음ㅋㅋ"

"아 뭐야 서로 오해했나보네..ㅋㅋ 아니 요즘에 잘 안보이고 등교도 같이 안하니까 옛날의 우리가 아닌 것 같아서 조금 서운했다ㅋ"

"뭘 그런거 가지고 암튼 이제부턴 옛날처럼 지내보자고 아 근데 그러면 내가 너집 그냥 쳐들어갈 수도 있다 ㅋㅋ 잘 준비하고 있으라고 ㅋㅋ"

"하.. 얘 또 시작됐네.. 이거 어떻게 말리냐"
  나는 옛날의 한슬이와 나의 관계로 돌아온 것 같아 기분이 조금 풀렸다. 또한 내가 지난번에는 왜 이렇게 고민을 했는지 후회가 된다. 바로 말하면 될 것을... 며칠 뒤 완전히 옛날보다 더 친해진 우리는 여러 가지 추억들을 자주 만들었다.

"야 이거 나중에 어른 되면 자주 생각날 듯..? 하도 놀아서 근데 우리 만날 때 한 번도 공부를 같이 한 적이 없다 ㅋㅋ"

"그래서 네가 공부를 나보다 못하는 거야. 항상 놀 생각만 하니까ㅋㅋ"

"야 너말다했냐?ㅋㅋ 그나마 내가 너보단 모든 면이 다 완벽하다ㅎ"

"하! 내가 더"

나는 이런 말을 하고도 속에서는 한슬이의 말에 호응을 하고 있었다.

이렇게 나와한슬이의 첫 고등학교 생활이 평화롭게 잘끝나는 줄 알았지만 역시 나와 한슬이에 관계에서 꼬인 것들이 나오기 시작했다. 그 중 가장 문제인 한슬이와 도서부 선배에 관계이다.. 저번에 내가 한슬이와 관계가 안 좋아 진 이후로 그 선배와 한슬이는 관계가 급격히 좋아졌다.

또한 지금도 마찬가지로 예전처럼 지내지만 점심시간만 되면 책은 보러가지도 그 도서부 선배와 도서관 데이트를 하곤 한다. 예전의 나는 한슬이의 대한 마음이 정리되지 않아서 도서부 선배한테 가진 못했지만 지금은 한슬이의 대한 마음이 더 굳세졌기 때문에 나는 도서부 선배에게 말하기로 하였다.

CHAPTER.6 삼각관계

 오늘은 한슬이보다 점심시간에 밥을 빨리 먹고 도서관으로 뛰어갔다. 여전히 도서부 선배는 열심히 책만 꽂고 있었다 . 내가 마음을 굳세게 잡고 선배에게 다가가서 말을하자 ... 선배는 당황스럽다는 듯이 쳐다봤다.

 "선배, 안녕하세요..! 저 처음에 한슬이랑 같이 왔던 남자애입니다 선배가 잘생겼다는 그 남자애에요"

 "아 그렇구나 이름이..?"

 "아 저는 김태현이라고 하고요. 드릴말씀이 하나 있습니다."

 "뭐길래 1학년이 점심도 빨리 먹고 오지...?"

 "아 저 한슬이에 대한 이야기 인데요. 요즘에 제가 잘 붙어 다니지를 못해서 한슬이랑 잠깐 멀어졌었는데 다시 붙어다니는데 혹시 단도직입적으로 제 단짝

친구 한슬이와 무슨 사이신거죠?"

"? 아..나? 나는 한슬이랑 썸이라고 해야하나? 암튼 후배 선배 관계는 아니야. 왜? 질투라도 나? 사실 나는 한슬이한테 호감이 있어 한슬이만 나를 좋아하거나 조금이라도 한슬이와 사귈 수 있는 확률이 있다면 난 어디에서든지 한슬이에게 고백할거야"

" ..... 근데 그렇게 되긴 쉽지 않을거에요. 왜냐하면 저도 사실 한슬이에게 호감이 있기 때문에 한슬이에게 적극적으로 대쉬하고 있거든요. 선배랑은 다른 같은반 가까운 집 등 여러 가지로 저와 한슬이는 무려 6년지기이기 때문이에요. 한번 할 수 있으면 해보세요."

"..지금 선배한테 도전장 내미는 거야?"

"아무리 내가 조용하고 얌전하다고 하지만 내가 좋아하고 호감이 있는 사람 앞에서는 싹 변하거든 너가 지금 선배한테 도전장을 내민거니까 내가 받고 한번 누가 우리 한슬이의 마음을 제대로 얻는지 보자고"

"아 네. 근데 여기서 시비 걸려는건 아닌데 왜 하필 우리 한슬이라는 거죠. 상당히 기분이 불편하네요. 아무리 좋아하는 애라도 아직 사귀지도 않는 애를 우리라고 부르다니..그리고 또 한슬이를 좋아하는 애가 앞에 있는데 진짜 양보라는것은 하나도 없군요. 인기가 많은 것은 얼굴을 보고 내면을 안봐서 그렇네요."

" 뭐? 갑자기 가만히 있는 사람을 건드려? 내가 말했지 한슬이는 어차피 너가 도전장을 백개 천개 만개를 내서 나랑 계속 대결을 해도 다 내가 이긴다고"

"그건 두고봐야 알죠.ㅎ 우선 알겠습니다. 한슬이 마음을 누가 가져가나 한번 보죠"

나는 도서부 선배에게 한슬이의 대한 마음을 털어놓았다. 하지만 도서부 선배도 같은 마음이었으며 그러므로 나는 도서부 선배와 한슬이의 마음을 가져가기 프로젝트를 계획하고 실행할려고 생각에 깊이 빠져있었 그때 한슬이가 저기 멀리서 나를 부르는 소리가 들려오기 시작했다. " 야 김태현 너 어디 갔어 한참 찾았자나 왜 먼저 사라지는 거야 오늘 맛있는

것도 많이 나왔는데 바로 버리고 가버리면 음식물이
많이 나올텐데.."

"지금도 내걱정이 아니라 음식 걱정인가..?ㅎ"

나는 그래도 한슬이가 내 걱정을 조금이라도 해준
다는 것에 너무 기분이 좋았다. 누구나 좋아하는 사
람이 나에게 관심을 가져주면 관심을 받는 나는 작
은것에도 의미를 붙여 기억하고 만약 반대로 상대방
이 나에게 속상한 말을 했을때 더욱 더 속상하게 된
다. 나는 그것처럼 한슬이가 나를 조금이라도 생각해
주었다는 생각에 너무 의미가 있고 설렜다.
하지만 설레는 것도 잠시 나는 순간 표정이 굳었다.
바로 도서부 선배가 한슬이 옆에 있었기 때문이다.
도서부 선배는 오늘 도서부 활동 하는 걸로 알고 있
는데 어케 여까지 왔고 우리가 있는데는 어떻게 알
았지...?

"야야, 김태현 너 갑자기 왜그래 어디 아파? 아님
점심이 너무 맛있어서 먹은 후에 갑자기 감동했
나..?"

"아니야 그냥 너무 이쁜 선배가 있어서."

"어? 그래? 어디? 계셔 나도 볼래 왜 좋은걸 너만 봐 나도 봐야지"

나의 실수 였다. 그때 한슬이와 도서부 선배와 눈이 마주쳤다. 도서부 선배는 한슬이를 보며 웃으며 인사를 했다. 한슬이도 도서부 선배를 보며 인사를 했다. 나는 그 모습을 쭉 지켜보고 있었다. 나를 대하는 것과 한슬이를 대하는 것이 완전히 180도 다른 도서부 선배를 보고 한마디를 하고 싶었지만, 한슬이를 보면 서계속 참고 또 참았다 . 하지만 이 얘기를 하기 전까지는....

"? 어 너는 그 도서관에서 예의 없게 행동한 친구 아니야?"

"네? 저요? 제가 왜 도서관에서 떠들어요...?"

"아니 너가 도서관에서 떠들고 남자애들이랑 떠들다가 나랑 사서쌤 한테도 혼났잖아~ 지금 창피하구나?"

"아니 그게아니라 저는 아예 도서관을 별로 가지도

않고 거의 한슬이랑 붙어 있어서 한슬이한테 말 해 보면 되겠네요;;"

"야 윤한슬, 나 요즘에 너랑만 붙어 있었지? 같이 밥 먹고 같이 잡가고 같이 줄서고 거의 모든 것을 나랑 했네? "

"어 맞아요. 얘는 맨날 나랑 같이 있어서 도서관 잘 안가요! 선배가 잘못 본 것 같은데...? 얘가 그런애는 아니라서.."

"아 그래? 그럼 잘못 봤겠네"

"저기요. 오해를 하셔서 잘못을 하셨으면 저한테 최 소한 사과를 하셔야 하는게 예의 아닌가요?"

"아.. 그래 미~안~하~다."

그 이후로 나는 화가 나서 선배와 말다툼으로 이어 질려는 순간 한슬이의 말림과 동시의 수업시간 종이 쳐서 빨리 교실로 들어갔다. 그렇지만 나는 수업시간 에서도 자꾸 아까의 일이 생각나서 짜증이 났다.

"그럼 오늘 종례 끝! 내일보자"

드디어 길고 길었던 학교가 끝났다. 오늘 나와 윤한슬은 청소라서 남아야한다.. 이건 어떻게 보면 절호의 기회일수도 있다.

"아..진짜 청소 겁나 하기싫네..."

"아 그니까..오늘따라 웰캐 하기싫냐..ㅋㅋㅋㅋ"

그 때 윤한슬 머리에 먼지가 붙었다. 나는 그걸 떼어주려고 옆으로 다가간다. 때마침 2학년 선배들의 종례가 끝나고, 백도현 선배가 우리 반 앞으로 찾아와 윤한슬을 기다리고 있었다. 나는 일부로 윤한슬에게 더 가까이 다가갔다.

"..ㅇ..왜이래?"

"잠깐만..가만히 있어봐"

나는 백도현선배에게 보란 듯이 윤한슬과 매우 가까운 거리에서 먼지를 떼어주었다. 그러다가 백도현선배의 친구가 와서 백도현선배를 끌고갔다. 나는 백도현선배에게 뭔가를 보여준거같아서 기분이 너무 좋았다.

　"으아..드디어 청소 끝났네..휴..."

　"야 윤한슬"

　"응? 왜"

　"사실 나 너 예전부터 좋아했어."

　"...?"

　"나 너 좋아해. 우리 사귀자"

　하...이건 계획에 없었는데..? 하..이 돌직구 머리..ㅠㅠ 이 타이밍에 고백을 하다니.. 진짜 이 돌직구 성격은 어떻게 해도 바뀌지 않는다.. 괜히 말했나..? 윤한슬은 엄청 당황해하는 표정이었다.

"물론 지금당장 답장할 필요는 없어. 천천히 생각해
보고 말해줘..!"

"ㅇ..어어..."

우리의 분위기는 지금 엄청 어색하다. 얘랑 같이 하
교할때는 쉴새없이 계속 시끄럽게 떠들면서 갔는데..
이렇게 아무말도 안하고 매우 어색한 분위기는 처음
이었다.

"나 먼저 갈게.."

"어어..!"

나는 너무 걱정되었다. 만약 한슬이가 나의 고백을
찬다면..백도현선배가 날 비웃을거고, 윤한슬과의 사
이도 멀어질거같았다. 하..고백을 왜 지금 했지.. 이
돌직구성격 진짜ㅠㅠ

-다음날

윤한슬이 먼저 등교한다고 문자로 말해서 오늘은 같
은 밴드부라서 친해진 강민혁과 같이 등교를 했다.

"니가 뭔일이래..나랑 같이 등교하자고하고"

"그냥.. 같이 가는 친구랑 좀 어색해져서..ㅎ"

 나는 그렇게 강민혁과 같이 수다를 떨며 학교에 도
착했다.
반에 도착하니 윤한슬이 친구들이랑 놀고있었다. 근
데 그 모습이 너무 이쁘고 귀여워보였다. 얘가 너무
예뻐보인다. 망했다.

"어? 하이 ㅎㅎ"

윤한슬이 나에게 눈웃음을 치며 반갑게 인사해주었
다. 뭐지..? 그래도 오늘은 안 어색해서 좋았다.

그렇게 오늘도 점심시간이 되고.. 나는 윤한슬이 오
늘도 도서관으로 갈 줄 알았다. 하지만 오늘은 웬일
인지 도서관에 가지 않았다. 나는 괜히 말 걸었다가
또 어색해져서 숨막힐까봐 그냥 말을 안걸고 오늘은

거의 대부분 예전에 친하게 지냈던 애들이랑 놀았다. 오랜만에 그 애들이랑 노니까 생각보다 재밌었다. 그렇지만 계속 놀다가도 눈길이 자꾸만 윤한슬쪽으로 향했다. 지나가는 여자애들이 우리무리를 보면서 잘 생겼다면서 수근거렸다. 사실 나는 밴드부에 실력으로 뽑힌 것도 있지만 내 미모가 한몫 하기 때문에 뽑혔다고 생각한다. 나정도면 솔직히 좀 잘생긴 건데.. 윤한슬은 아직도 나를 친구로만 생각하는걸까..? 내가 남자로 보인적은 한번도 없을까... 머릿속이 너무 복잡하다.

CHAPTER.7 우리의 이야기의 종점

"아... 알겠어..."

나는 마음에 10t이 넘는 돌이 쿵 떨어지는 기분을 느꼈다. 나는 애써 괜찮은척 웃음을 짓고 윤한슬에게 인사를 하고 집으로 돌아왔다.
대체 일이 어디서 잘못된것일까...

-몇 분전

윤한슬이 밤에 나를 불렀다. 나는 설레고 긴장되는 마음으로 윤한슬을 만나러 나갔다. 분위기는 나의 고백에 대답을 하려는 것 같았다. 하..너무 긴장된다. 만약 한슬이가 찬다면...아 자꾸 이런생각 하지말자 김태현..!!

"야 윤한슬!"

"어 왔어?"

"무슨일이길래 너가 이렇게 늦은 시간에 보자고
해?ㅎㅎ"

"아 그게.. 너가 저번에 나한테 고백한 거 있잖
아.."

"아 응응! 생각해봤어?"

"그건..못들은 걸로 할게.."

"...어..?"

"사실..나 백도현 선배를 좋아하는데.. 백도현선배가
전에 나한테 먼저 고백하셨었어...좀 고민하긴 했는
데.. 나는 그 선배가 좋아. 너도 좋은사람이지만 넌
나보다 더 좋은 애를 만날 수 있을거같기도 하고..!
우리 그냥 친한 친구사이로 지내자 여태껏 그래왔던
것처럼..."

"아...알겠어..."

집으로 돌아온 나는 너무 충격적이었다

나는 내가 더 빨리 고백했다고 생각했는데.. 그선배가 먼저 선수 쳤다니.. 내가 늦은거같아서 나에게도 실망했다. 역시나 윤한슬은 나를 친구로만 생각하고 있었던 것이었다. 그래도 나는 조금이라도 기대했었다. 아주 조금의 가능성은 있지 않을까.. 하.. 나는 이 감정을 처음 느껴보았다. 너는 좋아하는 사람을 뺏긴 이 기분을 알 긴할까? 나는 초등 학교 때 이후로 처음 울었다. 오늘밤은 아무것도 하고싶지않았다.

-며칠 뒤

윤한슬과 백도현선배가 사귀는것이 공식적으로 공개되었다. 나는 몇일동안 마음정리를 했다. 사실 좀 힘들긴 했지만 이제는 받아들이고 그 둘을 응원해줄것이다. 내가 이 짓을 하는 이유는 좋아하는사람, 아니 좋아했던 사람이 끝까지 행복했으면 하는 마음이었다.

그리고 나는 백도현선배와도 많이 친해졌다. 생각보다 그 선배와 맞는게 많아서 우리는 매우 가까운 사이가 되었다. 그리고 나는 요즘 썸녀가 생겼다. 바로 강유진이다. 그렇다. 강유진이 윤한슬에게게 말했던 바뀐 짝남이 나였던것이다. 나도 강유진이 좋아졌다. 유진이는 매력이 정말 많았다. 이렇게 나의 처음이자 마지막이 될 첫사랑이야기가 끝난다.

EPILOGUE   한슬

나는 결국 도현 선배와 사귀기로 했다. 도현 선배는
도서관에서 보던것 보다 더 친절하고 좋은 사람인것
같다.
"오빠! 많이 기다렸지"
"아냐 ㅎㅎ"
'오늘은 태현이와 유진이 그리고 우리가 더블데이
트를 하기로 했다. 태현이와 유진이는 우리가 사귀고
얼마 후 커플이 되었다. 사실 유진이가 조금 아깝긴
하지만, 유진이는 태현이가 좋다고하니 그거면 된 것
같다 ㅋㅋ' 고등학교에 입학한지 얼마 되지 않은
것 같았지만 바깥엔 벌써 눈이 오고있었다. 나는 선
배의 손을 잡고 길을 걸었다.
"유진아!"
"오! 한슬아ㅏ "

저 멀리서 유진이와 태현이가 걸어왔다. 유진이와 태현이는 반에서도 공식 커플이다. 팔짱을 끼고 오는 유진이와 태현이는 얼굴에 환한 미소를 띄고있다.

우리는 오늘 놀이공원에 간다. 나는 놀이기구를 잘타고 좋아하는데, 선배는 놀이기구를 잘 못탄다. 태현이도 놀이기구를 잘 못타서 선배와 함께 놀이기구를 타는 나와 유진이를 기다린다. 우리는 회전목마 앞에서 함께 사진을 찍었다.
선배와 내가 사귄 후, 우리의 연애는 전교생이 알고 있었지만, 우리 둘은 아무렇지 않았다. 우리 둘만 좋으면 다른 사람이 뭐라고 하든 상관없는게 나와 선배가 하는 생각이다. 이제 나는 눈치를 보지 않고 선배에게 말을 할 수 있다. 도서관에서 선배를 보며 쩔쩔매던 내가 있었나 싶을정도로 정반대의 사람이 되었다.

우리의 시간은 점점더 좋은 추억을 만들었다. 함께 본 첫 눈, 함께 처음으로 먹은 저녁, 그리고 함께 찍은 사진들. 비록 선배가 학교를 졸업하면 매일 보진 못하지만, 1년동안 더 많은 추억을 만들거다.

아,

선배는 나에게 자주 편지를 써준다. 나를 좋아하게된 순간, 그리고 다른 얘기 여러개 등 선배가 잊을만 할 때쯤 주는 편지는 항상 감동적이고, 너무 고맙다. 우리는 이렇게 서로의 일상이 되었다. 그리고 부모님도 내 연애 사실을 알게 되었다. 뭐라고 하실 줄 알았지만, 그냥 알았다고 하셨다. 나는 선배와 함께 하는 일상이 너무나도 행복했다.

EPILOGUE - 도현

나는 한슬이 남자친구가 되었다. 볼때마다 떨리고 좋고, 행복하고, 귀엽다. 김태현도 한슬이에게 고백을 했다고 하는데, 한슬이가 내 고백을 받아주어서 다행이다. 한슬이는 생각보다 더 귀엽고, 착하고, 예쁘다. 웃는 얼굴로 말할 때면 매일 봐도 설렌다.

김태현, 강유진 그리고 나와 한슬이가 놀이공원에서 더블 데이트 하던 날이 생각난다. 놀이기구를 타면 어지러워서 잘 못타는 나는 혼자 놀이기구를 못탈까봐 조금 걱정했었는데, 김태현도 놀이기구를 못탄다니 속으로는 다행이라고 생각했다. 그때 이후로 나화 김태현은 급격하게 친해졌다. 김태현은 나와 생각보다 잘 맞았다. 좋아하는 과목, 노래, 책 등등 겹치는 점이 많았다.

나와 한슬이가 연애하는 걸 모르는 사람이 학교에 거의 없었지만, 난 차라리 그게 나았다. 몰래 숨어서 연애하는 것 보단 대놓고 편안히 연애 하는게 더 좋았다. 애사랑하는게 잘못도 아니고, 난 한슬이가 괜찮다고 해서

일부러 더 소문을 낸 것도 있다. 그냥 모두가 알면 좋겠어서 말이다.

내가 졸업하면 한슬이를 매일 볼 순 없겠지만 남은 1년동안 더 많은 것을 함께할 것이다. 같이 여행도 가고, 한강에 벚꽃 필 때 가서 예쁜 사진도 찍어주고 싶다. 이렇게 우리는 점점 서로의 하루하루가 되었다.

 나는 부모님께 내 연애 사실을 가장 먼저 알렸다. 마음 편히 연락하고, 데이트 하려고. 처음엔 부모님이 조금있으면 고3인데 왜 연애를 하냐고 하셨지만, 내가 한슬이를 너무 좋아하는 것 처럼 보였는지 요즘은 아무 말씀을 안하신다.

오늘은 우리가 사귄지 200일째 되는 날이다.

우리는 200일 이라는 시간동안 천천히,
그리고 빨리 서를 알게되었다. 우리는 앞으로도 계속
함께 할 것이다.

- 열여덟, 열일곱 끝 -